# RUSSELL the voice

| | In The Book | On The CD |
|---|---|---|
| **Nella fantasia** | 2 | 1 |
| **Amor ti vieta** | 5 | 2 |
| **Caruso** | 8 | 3 |
| **Saylon Dola** | 13 | 4 |
| **Miserere** | 16 | 5 |
| **Panis angelicus** | 20 | 6 |
| **Non ti scordar di me** | 24 | 7 |
| **La donna e mobile** | 28 | 8 |
| **Funiculí – funiculá** | 32 | 9 |
| **Barcelona** | 36 | 10 |
| **Nessun dorma!** | 42 | 11 |

**IMP**

International
MUSIC
Publications

Editor: Anna Joyce
Folio Design: Dominic Brookman

Music Engraving & CD Production
Artemis Music Ltd Bucks SL0 0NH

Published 2001

# NELLA FANTASIA

Words and Music by
Chiara Ferrau and Ennio Morricone

**Medium ballad**

# AMOR TI VIETA

Words by Arthur Colautti
Music by Umberto Giordano

# CARUSO

**Words and Music by Lucio Dalla**

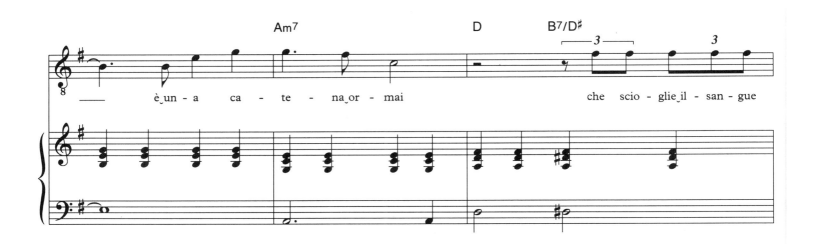

è_un - a ca - te - na_or - mai che scio - glie_il - san - gue

di - nt_e ve - ne sai.

*Verse 2:*
Vide le luci in mezzo al mare.
Pensò alle notti là in America
Ma erano solo le lampare
E la bianca scia d'un elica
Senti il dolore nella musica,
E si alzò dal pianoforte
Ma quando vide la luna
Uscire da una nuvola,
Gli sembrò più dolce anche la morte
Guardò negli occhi la ragazza,
Quegli occhi verdi come il mare
Poi all' improvviso usci una lacrima
E lui credette di afforgare.

Te voglio bene assai, *etc.*

*Verse 3:*
Poi pensò alla lirica,
E al grande palco
Che con un po' di trucco e con la mimica
Puoi diventare un altro
Ma due occhi che ti guardano,
Così vicini e veri
Ti fan scordare le parole,
O in fondo i tuoi pensieri
Così diventa tutto piccolo,
Anche le notti là in America
Ti volti e vedi la tua vita,
Come la scia d'un elica
Ma si, è la vita che finisce,
Ma lui non ci pensava tanto
Anzi, si sentiva già felice,
E ricominciò il suo canto.

Te voglio bene assai, *etc.*

# SAYLON DOLA

**Words and Music by Nigel Hess**
**Adapted by Máire Brennan**

# MISERERE

**Moderately**

Words and Music by
**Adelmo Fornaciari and Paul Richard Hewson**

# PANIS ANGELICUS

**Music by Cesar Franck**
**Arranged by Nick Ingman and Nick Patrick**

# NON TI SCORDAR DI ME

Words by Domenico Furno
Music by Ernesto De Curtis

# LA DONNA È MOBILE

Words by Francesco Piave
Music by Giuseppe Verdi
Arranged by Nick Ingman and Nick Patrick

**Moderately with movement**

La don-na è mo-bi-le qual più - ma al ven -to mu-to d'ac - cen — to e di pen - sie - ro.

Sem - pre un ama-bi-le, leg-gia-dro vi - so, in pian-to o in ri - so

# FUNICULÍ-FUNICULÁ

Words by Giuseppe Turco
Music by Luigi Denza
Arranged by Nick Ingman and William Hayward

Verse 2:
Se n'è sagliuta, òje né, se n'è sagliuta,
La capa già…
(La capa già.)

E' ghiuta, po' è tornata, po' è venuta…
Sta sémpe cc-á…
(Sta sémpe cc-á.)

La capa vota vota attuórno, attuórno,
Attuórno a te…
(Attuórno a te.)

Lo core canta sémpe no taluórno:
Sposammo, òje né'…
(Sposammo, òje né'.)

Jammo, jammo, *etc.*

# BARCELONA

Words and Music by
Freddie Mercury and Mike Moran

# NESSUN DORMA

Words by Giuseppe Adami and Renato Simoni
Music by Giacomo Puccini

**Andante**